avan

le bébé

« De la culture...

... à la puériculture»

RICTUS

Editions Vents d'Ouest
31-33 Rue Ernest Renan
92130 Issy-les-Moulineaux

Dépôt légal Février 1999.
Conception Graphique : Christian Blondel.
Maquette : Céline Julien.

Imprimé en France par Maury-Eurolivres
45300 Manchecourt

avant & après

le bébé

« De la culture...

... à la puériculture»

Adaptation : Jacky Goupil
Illustrations : Monsieur B
Adapté de l'ouvrage «Before & After your new baby»
de Victoria Brown et Allan Chochinov

avant

«Mais quel enfant tu fais !»

après

«Mais quel enfant tu as fait ? !»

avant

«Non vraiment, chéri,
tu peux sortir ce soir,
ça me fera du bien d'être tranquille»

après

«Comment peux-tu sortir ce soir
et me laisser seule avec ce petit monstre ?!»

avant

Nuage de parfum dans le cou

après

Nuage de lait caillé dans le cou

avant

«Steve regarda avidement Felicia,
emporté par le feu
qui brûlait en lui...»

après

«Il était une fois trois petits ours...»

avant

«Nous partagerons les tâches équitablement»

après

«Tu es sa mère,
fais quelque chose !»

avant

Cocktail dans le shaker

après

Jus de légumes dans le mixer

avant

«Mon gros nounours !»

après

«Son gros nounours...»

avant

Bon cavalier

après

Bon cheval

avant

Nuit blanche

après

Nuits blanches

avant

«N'essaie pas de me changer»

après

«Chéri, c'est ton tour de le changer»

avant

«Il faudrait me payer cher
pour prendre des tranquillisants !»

après

«MA PERIDURALE, IMMEDIATEMENT !»

avant

“Les Plaisirs du Sexe”

après

"J'élève mon enfant"

avant

«Je bois du petit lait»

après

«Je le nourris au sein»

avant

Talons aiguilles

après

Aiguilles à tricoter

avant

«Nous sommes très exigeants sur
la déco de notre appartement.
Rien de clinquant, peu de couleur»

après

«Notre logement ressemble à un camion de jouets écrabouillés»

avant

«La vérité sort de la bouche
des enfants»

après

«Taisez-vous, bon sang, les mômes !»

avant

Manque de pot

après

Manque de petits pots

avant

Conte de fées

après

Fais les comptes

avant

Envies

après

Régime

avant

«Y a-t-il un endroit où je pourrais
me changer ?»

après

«Y a-t-il un endroit où je pourrais le changer ?»

avant

«J'ai 2 kilos à perdre»

après

«J'ai 12 kilos à perdre»

avant

«Pas ce soir, je ne suis pas bien...»

après

«Pas ce soir, il n'est pas bien»

avant

Zizi panpan

après

Pipi caca

avant

Basic Instinct

après

Instinct maternel

avant

«Ce qui est génial avec les enfants, c'est qu'ils ont tout à apprendre»

après

«Ce qui est épuisant avec les mômes,
c'est qu'il faut tout leur répéter vingt fois»

avant

G.T.I.
(sigle sur la voiture)

après

Bébé à bord
(panneau sur la voiture)

avant

«Il faut élever les enfants à la dure»

après

«J'ai prévenu Mamie que tu avais mal aux dents, alors elle a fait de la purée»

avant

«Maxime ou Pierre si c'est un garçon,
Juliette si c'est une fille»

après

«Maxime est né à 13 h 27, Pierre à 13 h37 et Juliette à 13 h 47»

avant

«Bweêêrrk, les couches,
ça me dégoûte !»

après

«Oh le beau caca qu'il a fait à sa maman,
le bébé ! Ça c'est un beau caca,
un joli caca bien ferme,
maman est très contente
du beau caca de son bébé,
bla bla caca bla bla !»

avant

«T'as vu mon costard, la classe ?»

après

«T'AS VU MON COSTARD,
LA CRASSE ?!?»

avant

Alpaga

après

Détachant

avant

«T'es toujours en train d'appeler
ta mère !...»

après

«...Et si tu appelais ta mère pour le garder cette nuit ?»

avant

«On fait des galipettes, Chéri ?»

après

« Galipettes, papa ! »

avant

Wonderbra

après

Gaine de maintien

avant

Culture

après

Puériculture

avant

VTT Plongée Tennis

après

Bicyclette *Baignade* *Jokari*

avant

«Les bébés sont tous mignons !»

après

«Notre enfant est vraiment
le plus beau !»

avant

«Je suis trop jeune
pour avoir un bébé»

après

«Les enfants préservent la jeunesse»

avant

«Avec un enfant je me sentirais pousser des ailes !»

après

«Depuis que j'ai un gosse,
j'ai pris du plomb dans l'aile...»

avant

«Je ne comprends pas pourquoi
les parents se font tant de soucis
quand ils confient leur enfant
à une baby-sitter.
Que peut-il bien arriver ?»

après

«Ici vous avez le numéro des pompiers,
celui du commissariat,
du centre anti-poison et des urgences.
Le SAMU et le numéro personnel
du médecin sont programmés
sur le téléphone»

avant

Week-end à Londres

après

Nurse anglaise

avant

Période d'acclimatation

après

Jardin d'acclimatation

avant

Garder la forme

après

Retrouver la forme

avant

9 semaines 1/2

après

3 hommes et un couffin

avant

Îles dorées

après

Île de Ré

avant

Les 400 coups

après

Les 100 pas

avant

Chauffe, Marcel !

après

Chauffe-biberon

avant

Etats d'âme

après

Métadone

avant

«On s'est couchés à 3 h !»

après

«Il nous a réveillés à 3 h !»

avant

37°2 le matin

après

39°5 le soir

avant

Mal d'amour

après

Mal de dents

avant

Baby foot

après

Baby boom

avant

«Je lui apprendrai la valeur de l'argent»

après

«Je prends cette poupée, ces livres et ces jeux.
Et n'oubliez pas le cheval à bascule !
Oh ! Et ce train miniature aussi,
s'il vous plaît !»

avant

Camel Trophy

après

Disneyland

avant

«Merde ! Chiotte ! Bordel !»

après

«Zut ! Mince ! Flûte !»

avant

«Je suis contre tout le bizness
dirigé vers les mômes»

après

«Je lui ai mis sa couverture Titeuf et sa couette Pieds Nickelés pour qu'il n'ait pas froid»

avant

Beau-frère - Belle-sœur

après

Tonton - Tata

avant

Bibine

après

Tétine

avant

Cocktail Molotov

après

Cocktail de fruits

avant

Auto-stop

après

Sucer son pouce

avant

Descente de whisky

après

Montée de lait

RICTUS

JE SUIS VENU,

❤❤Futurs mariés, jeunes époux ou vieux couples, un livre indispensable pour découvrir avec le sourire l'influence d'un "oui" sur la vie à deux.

❤❤Bien sûr, Mesdames, que vous l'aimez, l'homme de votre vie. Vous l'aimez, mais vous n'êtes pas aveugles sur ses défauts. C'est ce jugement amoureux mais lucide, porté par 160 femmes sur leurs conjoints, que propose ce livre qui fait rimer Amour avec Humour.

❤❤Bien sûr, Messieurs, que vous l'aimez, la femme de votre vie. Vous l'aimez, mais vous n'êtes pas dupes sur ses petits travers. C'est ce regard amoureux mais lucide, porté par 160 hommes sur leurs conjointes, que propose ce livre qui fait rimer Passion et Dérision.

❤❤❤❤Plus de 1500 excuses prêtes à l'emploi, des plus bidons aux plus bidonnantes, qui vous garantiront d'en sortir indemne... en toutes circonstances !

❤❤❤❤Reproches déguisés, allusions oppressantes ou insinuations culpabilisantes, ce que femme dit n'est pas toujours clairement exprimé. Vous allez enfin comprendre le sens caché de toutes ses petites remarques.

❤❤❤❤Vieillir est un plaisir ! La preuve : tout le monde le fait ! Voici enfin un manuel pas sérieux pour préparer les plus jeunes, informer les plus anciens, mais surtout savoir profiter des fruits de la vie, car le fruit qui mûrit est aussi le plus juteux !

❤❤ 38 FF
❤❤❤❤ 68 FF